Christelle Huet-Gomez

Les gâteaux magiques

Photographies de Valéry Guédes
Stylisme de Marlène Dispoto

LES PETITS PLATS
MARABOUT
ORIGINAUX & AUTHENTIQUES
DEPUIS L'AN 2000

Sommaire

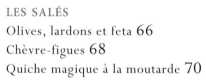

Qu'est-ce qu'un gâteau magique ?

Que contient donc ce gâteau pour mériter une telle appellation ?

Le gâteau magique est simplement composé d'œufs, de sucre, de farine, de beurre et de lait.
Mais alors, en quoi est-il magique ? Si ses ingrédients n'ont rien de particulier, c'est à la cuisson que la magie opère. Le gâteau, dont la pâte est très liquide, se divise de lui-même en trois couches distinctes, chacune pourvue d'une texture et d'un goût particuliers :
– un flan sucré supporte le gâteau ;
– une crème délicate et légère vient se placer au milieu ;
– une génoise aérienne recouvre le dessus.

Mais comment un tel phénomène est-il possible ?

Les jaunes d'œufs, fouettés avec le sucre, le beurre, la farine et le lait vont créer les deux premières couches du gâteau magique : le flan et la crème.
En effet, la cuisson lente à 150 °C va permettre de cuire le dessous du gâteau tel un flan, sans cuire le dessus qui conservera une texture crémeuse.
Il est donc préférable d'utiliser une convection naturelle plutôt qu'une chaleur tournante.
Ensuite, les blancs en neige vont venir former la couche de génoise. Ils ne s'homogénéisent pas avec le lait et flottent donc sur le dessus du gâteau !

crème

génoise

flan

Les 5 règles d'or

Une préparation, une cuisson et trois gâteaux en un à l'arrivée. Un dessert facile à faire, si l'on respecte les règles suivantes, qui en épatera plus d'un, c'est certain !

1. La taille du moule

Il est important que la taille du moule corresponde à toute la quantité de préparation prévue dans la recette. Si le moule est trop petit, vous risquez de ne pas réussir à verser tous vos blancs en neige. La couche de génoise sera alors trop fine. À l'inverse, si votre moule est trop grand, chaque couche sera trop mince et il sera difficile de les distinguer. Dans la plupart des recettes présentées ici, nous utilisons un moule rond de 24 centimètres de diamètre.

2. Les blancs en neige

Pour incorporer les blancs en neige à la préparation très liquide, il est conseillé d'utiliser un fouet, en travaillant la masse doucement, afin de ne pas la dissoudre dans la pâte : il doit rester de gros grumeaux. Il est en effet difficile d'incorporer des blancs à une préparation liquide avec une cuillère en bois. Les blancs flottant à la surface du moule seront lissés avec la lame d'un couteau avant d'enfourner le gâteau.

3. La cuisson

Si le gâteau n'est pas assez cuit, il ne se tient pas ; s'il est trop cuit, la couche de crème disparaît. À la fin du temps de cuisson indiqué dans la recette, c'est normal que le gâteau reste tremblotant, c'est au frais qu'il figera. La couche supérieure – de génoise – doit, elle, être bien cuite et dorée. Toutes les durées de cuisson indiquées dans les recettes correspondent à une cuisson en convection naturelle. Si votre four est à chaleur tournante, vous pouvez diminuer toutes les températures de 10 °C.

4. Le démoulage

Il est impératif d'attendre que le gâteau magique fige avant de le démouler : pour cela, il doit être réservé au frais durant 2 heures au minimum. Le démoulage sera plus facile si vous utilisez un moule en silicone. Dans le cas contraire, il est conseillé de chemiser votre moule avec du papier cuisson.

5. La dégustation

Le gâteau magique est encore meilleur après avoir passé quelques heures au frais, voire une nuit, car les arômes auront le temps de se développer dans l'ensemble du gâteau. Alors, pensez à ne pas le préparer à la dernière minute et... soyez patient !

Les étapes importantes de la préparation de la pâte

Bien mélanger les œufs avec le sucre jusqu'à ce que le mélange blanchisse.

Incorporer délicatement les blancs d'œufs au fouet, sans trop mélanger. Il doit rester de gros grumeaux.

Lisser la préparation versée dans le moule avec la lame d'un couteau avant d'enfourner.

Le gâteau magique vanille

Pour 8 personnes
Préparation : 20 minutes
Cuisson : 50 minutes
Repos : 1 + 2 heures

50 cl de lait
2 gousses de vanille
4 œufs
150 g de sucre en poudre
1 sachet de sucre vanillé
1 cuillerée à soupe d'eau
125 g de beurre
110 g de farine
1 pincée de sel

Moule rond, diamètre 24 cm,
en silicone ou chemisé de papier
cuisson

Fendez les gousses de vanille en deux et prélevez les graines avec la lame d'un couteau. Faites chauffer le lait avec les graines de vanille et les gousses ouvertes. Laissez ensuite infuser hors du feu 1 heure minimum. Plus la vanille sera infusée, plus le goût sera intense. Préchauffez votre four à 150 °C.

Séparez les blancs des jaunes. Fouettez les jaunes avec les sucres et l'eau jusqu'à ce que le mélange blanchisse. Faites fondre le beurre et incorporez-le à la préparation. Ajoutez la farine et le sel et fouettez quelques minutes. Retirez les gousses de vanille du lait. Versez-le petit à petit dans la préparation aux jaunes d'œufs, tout en fouettant. Montez les blancs en neige et incorporez-les délicatement à la préparation. Versez la préparation dans le moule beurré, lissez avec la lame d'un couteau et enfournez 50 minutes. À la sortie du four, le gâteau est légèrement tremblotant.

Avant de le démouler, laissez-le au minimum 2 heures au réfrigérateur, afin qu'il fige. Servez frais.

Le truc en plus
Saupoudrez le gâteau de sucre glace.

Chocolat blanc

Pour 10 personnes
Préparation : 20 minutes
Cuisson : 50 minutes
Repos : 2 heures

3 œufs
75 g de sucre en poudre
1 cuillerée à soupe d'eau
1 cuillerée à café d'extrait
de vanille liquide
120 g de chocolat blanc
75 g de beurre
75 g de farine
37 cl de lait à température
ambiante
1 pincée de sel

Moule à cake, 10 × 24 cm,
en silicone ou chemisé de papier
cuisson

Préchauffez le four à 150 °C.
Séparez les blancs des jaunes. Fouettez les jaunes avec le sucre et l'eau jusqu'à ce que le mélange blanchisse. Ajoutez l'extrait de vanille liquide. Faites fondre ensemble le beurre et le chocolat blanc. Incorporez-les à la préparation. Ajoutez ensuite la farine et le sel. Fouettez quelques minutes. Versez le lait petit à petit, sans cesser de fouetter. Montez les blancs en neige et, à l'aide d'un fouet, incorporez-les à la préparation.
Versez la préparation dans le moule beurré, lissez avec la lame d'un couteau et enfournez 50 minutes. À la sortie du four, le gâteau est légèrement tremblotant. Avant de le démouler, laissez-le au minimum 2 heures au réfrigérateur, afin qu'il fige.

Le truc en plus
Pour un glaçage, faites fondre 150 g de chocolat blanc. Hors du feu, ajoutez 7 cl de crème liquide entière. Placez au réfrigérateur pour au moins 2 heures, puis fouettez cette ganache pendant une dizaine de minutes jusqu'à ce qu'elle épaississe.

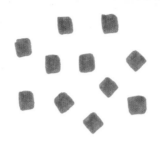

Caramel au beurre salé

Pour 8 personnes
Préparation : 45 minutes
Cuisson : 5 + 55 minutes
Repos : 2 heures

Caramel
300 g de sucre semoule
Quelques gouttes de jus de citron
15 cl de crème liquide, chaude
75 g de beurre demi-sel froid

Gâteau
45 cl de lait
4 jaunes d'œufs
70 g de beurre demi-sel
90 g de farine
1 pincée de sel

Moule rond, diamètre 24 cm,
en silicone ou chemisé de papier
cuisson

Commencez par préparer le caramel. Pour cela, placez le sucre et le jus de citron dans une grande casserole à fond épais. Faites cuire jusqu'à ce que le sucre fonde et prenne une couleur caramel. N'hésitez pas à vérifier la couleur à l'aide d'une cuillère en bois, le caramel paraissant souvent foncé au fond de la casserole. Ajoutez la crème liquide chaude en faisant attention aux projections. Hors du feu, incorporez le beurre demi-sel. Réservez 100 g de caramel et versez le lait dans le caramel restant. Faites bouillir afin de dissoudre complètement le caramel dans le lait. Laissez tiédir.
Préchauffez le four à 150 °C.
Séparez les blancs des jaunes. Fouettez les jaunes avec le beurre fondu. Incorporez ensuite la farine et le sel, puis versez le lait au caramel petit à petit, sans cesser de fouetter. Montez les blancs en neige et, à l'aide d'un fouet, incorporez-les à la préparation. Versez la préparation dans le moule beurré, lissez avec la lame d'un couteau et enfournez 55 minutes. À la sortie du four, le gâteau est légèrement tremblotant. Avant de le démouler, laissez-le au minimum 2 heures au réfrigérateur, afin qu'il fige.

Le truc en plus
Servez le gâteau avec le caramel restant.

Café

Pour 8 personnes
Préparation : 25 minutes
Cuisson : 5 + 45 minutes
Repos : 2 heures

50 cl de lait
30 g de café soluble
4 œufs
150 g de sucre en poudre
1 cuillerée à soupe d'eau
125 g de beurre
115 g de farine
1 pincée de sel

Moule carré, côtés 20 cm,
en silicone ou chemisé de papier
cuisson

Préchauffez le four à 150 °C.
Placez le lait et le café dans une casserole et faites chauffer jusqu'à
ce que le café soit parfaitement dissous. Laissez tiédir. Séparez
les blancs des jaunes. Fouettez les jaunes avec le sucre et l'eau jusqu'à
ce que le mélange blanchisse. Faites fondre le beurre et ajoutez-le
à la préparation. Incorporez ensuite la farine et le sel. Versez le lait
petit à petit, sans cesser de fouetter. Montez les blancs en neige et,
à l'aide d'un fouet, incorporez-les à la préparation.
Versez la préparation dans le moule beurré, lissez avec la lame
d'un couteau et enfournez 45 minutes. À la sortie du four, le gâteau
est légèrement tremblotant. Avant de le démouler, laissez-le
au minimum 2 heures au réfrigérateur, afin qu'il fige. Servez frais !

Le truc en plus

Pour un glaçage au cacao, faites fondre 100 g de chocolat noir
dans 5 cl de crème liquide et recouvrez-en le gâteau.

Praliné

Pour 8 personnes
Préparation : 20 minutes
Cuisson : 50 minutes
Repos : 2 heures

4 œufs
100 g de sucre en poudre
1 cuillerée à soupe d'eau
100 g de praliné en pot
80 g de beurre
80 g de farine
45 cl de lait à température
ambiante
1 pincée de sel

Moule rond, diamètre 24 cm,
en silicone ou chemisé de papier
cuisson

Préchauffez le four à 150 °C.
Séparez les blancs des jaunes. Fouettez les jaunes avec le sucre
et l'eau jusqu'à ce que le mélange blanchisse. Ajoutez le praliné, puis
le beurre fondu. Incorporez ensuite la farine et le sel. Fouettez encore
quelques minutes. Versez le lait petit à petit, sans cesser de fouetter.
Montez les blancs en neige et, à l'aide d'un fouet, incorporez-les
à la préparation. Versez la préparation dans le moule beurré, lissez
avec la lame d'un couteau et enfournez 50 minutes. À la sortie du four,
le gâteau est légèrement tremblotant. Avant de le démouler, laissez-le
au minimum 2 heures au réfrigérateur, afin qu'il fige.

Le truc en plus
Saupoudrez le gâteau de pralin.
Vous pouvez aussi le décorer de noisettes entières caramélisées.

Choco-noisettes

Pour 8 personnes
Préparation : 20 minutes
Cuisson : 50 minutes
Repos : 2 heures

4 œufs
100 g de sucre en poudre
1 cuillerée à soupe d'eau
100 g de pâte à tartiner
choco-noisettes
80 g de beurre
90 g de farine
45 cl de lait à température
ambiante
1 pincée de sel

Moule carré, côtés 20 cm,
en silicone ou chemisé de papier
cuisson

Préchauffez le four à 150 °C.

Séparez les blancs des jaunes. Fouettez les jaunes avec le sucre et l'eau jusqu'à ce que le mélange blanchisse. Ajoutez la pâte à tartiner. Faites fondre le beurre et incorporez-le à la préparation. Ajoutez ensuite la farine et le sel. Fouettez encore quelques minutes.

Versez le lait petit à petit, sans cesser de fouetter. Montez les blancs en neige et, à l'aide d'un fouet, incorporez-les à la préparation. Versez la préparation dans le moule beurré, lissez avec la lame d'un couteau et enfournez 50 minutes. À la sortie du four, le gâteau est légèrement tremblotant. Avant de le démouler, laissez-le au minimum 2 heures au réfrigérateur, afin qu'il fige.

Le truc en plus

Décorez de quelques noisettes concassées.

Vous pouvez aussi faire un glaçage en mélangeant 175 g de pâte à tartiner choco-noisettes et 25 cl de crème liquide entière, à laisser 2 heures au frais. À la sortie du réfrigérateur, fouettez-le jusqu'à ce qu'il épaississe.

Citron-pavot

Pour 8 personnes
Préparation : 30 minutes
Cuisson : 50 minutes
Repos : 2 heures

4 œufs
150 g de sucre en poudre
125 g de beurre
125 g de farine
30 g de graines de pavot
40 cl de lait à température
ambiante
2 citrons
1 pincée de sel

Moule rond, diamètre 24 cm,
en silicone ou chemisé de papier
cuisson

Préchauffez le four à 150 °C.

Séparez les blancs des jaunes. Fouettez les jaunes avec le sucre jusqu'à ce que le mélange blanchisse. Faites fondre le beurre et incorporez-le à la préparation. Ajoutez ensuite la farine, les graines de pavot et le sel. Fouettez quelques minutes, puis versez le lait petit à petit, sans cesser de fouetter. Prélevez le zeste des citrons et pressez leur jus. Versez le zeste et 10 cl de jus dans la préparation. Montez les blancs en neige et, à l'aide d'un fouet, incorporez-les à la préparation.

Versez la préparation dans le moule beurré, lissez avec la lame d'un couteau et enfournez 50 minutes. À la sortie du four, le gâteau est légèrement tremblotant. Avant de le démouler, laissez-le au minimum 2 heures au réfrigérateur, afin qu'il fige. Servez frais !

Le truc en plus

Décorez éventuellement de quelques quartiers de citron et saupoudrez de graines de pavot.

Vous pouvez aussi faire un glaçage en fouettant 30 cl de crème liquide entière bien froide avec 150 g de mascarpone jusqu'à épaississement. Versez alors 45 g de sucre, petit à petit, sans cesser de fouetter.

Cupcakes rose-myrtilles

Pour 8 personnes
Préparation : 35 minutes
Cuisson : 27 minutes
Repos : 1 + 2 heures

Glaçage
50 g de chocolat blanc
10 cl de crème liquide entière
10 g de sucre

Base
2 œufs
60 g de sucre en poudre
1 cuillerée à soupe d'eau de rose
60 g de beurre
55 g de farine
25 cl de lait
100 g de myrtilles
1 pincée de sel

Moules à muffin en silicone

Commencez par le glaçage car il devra reposer quelques heures au frais. Faites fondre le chocolat blanc au micro-ondes ou au bain-marie. Parallèlement, faites chauffer la moitié de la crème dans une casserole. Versez cette crème, en 3 fois, sur le chocolat, en mélangeant bien après chaque ajout. Incorporez ensuite le reste de crème froide, puis placez pour au moins 2 heures au réfrigérateur.
Préchauffez le four à 150 °C.
Séparez les blancs des jaunes. Fouettez les jaunes avec le sucre et l'eau de rose jusqu'à ce que le mélange blanchisse. Faites fondre le beurre et incorporez-le à la préparation. Ajoutez la farine et le sel, puis fouettez encore quelques instants. Versez le lait petit à petit, sans cesser de fouetter. Montez les blancs en neige et, à l'aide d'un fouet, incorporez-les à la préparation. Beurrez les moules à muffin et dispersez les myrtilles à l'intérieur. Elles viendront se placer toutes seules au milieu des gâteaux à la cuisson. Versez la préparation dessus et enfournez 27 minutes. Avant de les démouler, laissez-les au minimum 1 heure au réfrigérateur, afin qu'ils figent.
Sortez le glaçage du réfrigérateur puis fouettez-le pendant une dizaine de minutes, en incorporant le sucre petit à petit. Décorez les cupcakes magiques du glaçage fouetté.

Le truc en plus
Vous pouvez disposer quelques myrtilles sur le glaçage.

Pommes caramélisées

Pour 8 personnes
Préparation : 30 minutes
Cuisson : 10 + 55 minutes
Repos : 2 heures

Pommes caramélisées
3 pommes
30 g de sucre en poudre
20 g de beurre demi-sel

Gâteau
4 œufs
120 g de sucre en poudre
125 g de beurre
1 cuillerée à café d'extrait
de vanille liquide
115 g de farine
50 cl de lait à température
ambiante
1 pincée de sel

Moule rond, diamètre 24 cm,
en silicone ou chemisé de papier
cuisson

Pour faire les pommes caramélisées, lavez et épluchez les pommes. Coupez-les en petits morceaux et placez-les dans une poêle avec le sucre. Faites cuire jusqu'à ce que les pommes caramélisent, puis ajoutez le beurre demi-sel. Mélangez. Réservez.
Préchauffez le four à 150 °C.
Séparez les blancs des jaunes. Fouettez les jaunes avec le sucre jusqu'à ce que le mélange blanchisse. Faites fondre le beurre et incorporez-le à la préparation avec l'extrait de vanille liquide. Ajoutez ensuite la farine et le sel. Fouettez quelques minutes, puis versez le lait petit à petit, sans cesser de fouetter. Montez les blancs en neige et, à l'aide d'un fouet, incorporez-les à la préparation. Disposez les morceaux de pommes au fond du moule, puis versez la préparation dans le moule beurré. Lissez avec la lame d'un couteau et enfournez 55 minutes.
À la sortie du four, le gâteau est légèrement tremblotant. Avant de le démouler, laissez-le au minimum 2 heures au réfrigérateur, afin qu'il fige.

Le truc en plus
Décorez le gâteau de tranches très fines de pommes ou de pommes séchées et d'un coulis de caramel.

Ananas-noix de coco

Pour 8 personnes
Préparation : 30 minutes
Cuisson : 55 minutes
Repos : 2 heures

4 œufs
125 g de sucre roux
1 sachet de sucre vanillé
125 g de beurre
80 g de farine
80 g de noix de coco râpée
20 cl de lait à température ambiante
25 cl de lait de coco
340 g d'ananas au sirop
1 pincée de sel

Moule rond, diamètre 24 cm, en silicone ou chemisé de papier cuisson

Préchauffez le four à 150 °C.

Séparez les blancs des jaunes. Fouettez les jaunes avec les sucres jusqu'à ce que le mélange blanchisse. Faites fondre le beurre et incorporez-le à la préparation. Ajoutez ensuite la farine, la noix de coco râpée et le sel. Fouettez encore quelques minutes. Versez le lait et le lait de coco petit à petit, sans cesser de fouetter. La pâte doit être homogène. Montez les blancs en neige et, à l'aide d'un fouet, incorporez-les à la préparation. Découpez l'ananas en petits morceaux et dispersez-les au fond du moule beurré. Versez la préparation dessus, puis lissez avec la lame d'un couteau. Enfournez 55 minutes. À la sortie du four, le gâteau est légèrement tremblotant. Avant de le démouler, laissez-le au minimum 2 heures au réfrigérateur, afin qu'il fige.

Le truc en plus

Décorez de tranches d'ananas frais, de noix de coco râpée et d'un coulis de caramel.

Pour un gâteau coco, réalisez la recette sans l'ananas, en diminuant le temps de cuisson de 5 minutes.

Tarte magique fraise-rhubarbe

Pour 8 personnes
Préparation : 40 minutes
Cuisson : 35 + 55 minutes

Rhubarbe fondante
400 g de rhubarbe
80 g de sucre roux
3 cl d'eau

Tarte
1 pâte sablée
1 gousse de vanille
30 cl de lait
3 œufs
90 g de sucre en poudre
35 g de miel
90 g de beurre
80 g de farine
30 g de poudre d'amandes
1 pincée de sel

Garniture
275 g de crème Chantilly
200 g de fraises

Moule à tarte rectangulaire,
11 × 35 cm

Lavez et épluchez la rhubarbe. Découpez-la en petits tronçons et placez ces derniers dans une casserole avec le sucre roux et l'eau. Faites cuire à feu doux jusqu'à ce que l'eau soit totalement évaporée et la rhubarbe fondante.

Préchauffez le four à 180 °C.

Foncez un plat à tarte avec la pâte sablée et faites cuire à blanc pendant 15 minutes. Baissez la température du four à 150 °C.

Fendez la gousse de vanille en deux et grattez-en les graines avec la lame d'un couteau. Faites chauffer le lait avec les graines de vanille et la gousse ouverte afin qu'elle infuse. Réservez.

Séparez les blancs des jaunes. Fouettez les jaunes avec le sucre et le miel jusqu'à ce que le mélange blanchisse. Faites fondre le beurre et incorporez-le à la préparation. Ajoutez ensuite la farine et le sel. Versez le lait vanillé petit à petit, en ayant pris soin de retirer la gousse de vanille. La pâte doit être homogène. Montez les blancs en neige et, à l'aide d'un fouet, incorporez-les à la préparation. Saupoudrez la poudre d'amandes sur le fond de tarte. Répartissez ensuite la rhubarbe, puis versez la préparation dessus. Lissez avec la lame d'un couteau et enfournez 55 minutes. Laisser refroidir.

Versez la crème Chantilly sur la tarte et parsemez de morceaux de fraise. Servez frais !

Mini-cakes poire et spéculoos

Pour 8 personnes
Préparation : 30 minutes
Cuisson : 35 minutes
Repos : 1 heure

Pâte de spéculoos
200 g de biscuits spéculoos
15 cl de lait concentré non sucré
1 cuillerée à soupe de miel
½ cuillerée à café de cannelle moulue
1 pincée de sel

Gâteau
3 œufs
75 g de sucre en poudre
90 g de beurre
50 g de farine
30 cl de lait
2 petites poires
1 pincée de sel

Moules à mini-cake, en silicone ou chemisés de papier cuisson

Commencez par préparer la pâte de spéculoos. Placez tous les ingrédients dans le bol d'un mixeur puis mixez jusqu'à obtenir une pâte homogène. Réservez.
Préchauffez le four à 150 °C.
Séparez les blancs des jaunes. Fouettez les jaunes avec le sucre jusqu'à ce que le mélange blanchisse. Faites fondre le beurre et incorporez-le à la préparation. Ajoutez 150 g de pâte de spéculoos réalisée précédemment. Ajoutez ensuite la farine et le sel. Fouettez encore quelques minutes. Versez le lait petit à petit, sans cesser de fouetter. Montez les blancs en neige et, à l'aide d'un fouet, incorporez-les à la préparation. Lavez et épluchez les poires, puis détaillez-les en petits dés. Dispersez les morceaux au fond des petits moules à cake beurrés. Versez la préparation dessus, en faisant bien attention d'équilibrer la partie liquide et la partie blancs en neige dans chaque moule. Lissez avec la lame d'un couteau. Enfournez 35 minutes. À la sortie du four, les cakes sont légèrement tremblotants. Avant de les démouler, placez-les au minimum 1 heure au réfrigérateur, afin qu'ils figent. Servez frais !

Le truc en plus
Recouvrez les cakes de la pâte de spéculoos restante.
Vous pouvez également décorer de poudre de spéculoos et d'une poire coupée en tranches.

Fruits rouges

Pour 6 personnes
Préparation : 20 minutes
Cuisson : 30 minutes
Repos : 1 heure

3 œufs
95 g de sucre en poudre
90 g de beurre
95 g de farine
180 g de mélange de fruits rouges
37 cl de lait
1 pincée de sel

6 moules demi-sphère en silicone

Préchauffez le four à 150 °C.

Séparez les blancs des jaunes. Fouettez les jaunes avec le sucre jusqu'à ce que le mélange blanchisse. Faites fondre le beurre et incorporez-le à la préparation. Ajoutez ensuite la farine et le sel. Fouettez encore quelques minutes. Versez le lait petit à petit, sans cesser de fouetter. Montez les blancs en neige et, à l'aide d'un fouet, incorporez-les à la pâte. Beurrez les moules et placez les fruits rouges à l'intérieur. Versez ensuite la préparation dessus, puis lissez avec la lame d'un couteau. Les fruits rouges viendront se placer au milieu des gâteaux à la cuisson. Enfournez 30 minutes.

Avant de les démouler, placez-les au minimum 1 heure au réfrigérateur, afin qu'ils figent. Servez frais !

Le truc en plus
Décorez d'un coulis de fruits rouges et de fruits frais.

Orange-cannelle

Pour 8 personnes
Préparation : 25 minutes
Cuisson : 55 minutes
Repos : 1 + 2 heures

1 orange
40 cl de lait
2,5 cuillerées à café
de cannelle moulue
4 œufs
125 g de sucre en poudre
125 g de beurre
120 g de farine
1 pincée de sel

Moule carré, côtés 20 cm,
en silicone ou chemisé de papier
cuisson

Lavez l'orange et prélevez son zeste en découpant de grandes lanières de peau. Faites chauffer le lait à la casserole avec les zestes et la cannelle. Laissez infuser 1 heure.
Préchauffez le four à 150 °C.
Séparez les blancs des jaunes. Fouettez les jaunes avec le sucre jusqu'à ce que le mélange blanchisse. Faites fondre le beurre et incorporez-le à la préparation. Ajoutez ensuite la farine et le sel. Fouettez encore quelques minutes. Versez petit à petit le lait duquel vous aurez retiré les zestes, sans cesser de fouetter. Pressez l'orange puis versez 10 cl de jus dans le mélange. Montez les blancs en neige et, à l'aide d'un fouet, incorporez-les à la préparation. Versez la préparation dans le moule beurré, lissez avec la lame d'un couteau et enfournez 55 minutes. À la sortie du four, le gâteau est légèrement tremblotant. Avant de le démouler, laissez-le au minimum 2 heures au réfrigérateur, afin qu'il fige.

Le truc en plus
Décorez le gâteau de morceaux d'oranges confites.

Abricot-fleur d'oranger

Pour 8 personnes
Préparation : 25 minutes
Cuisson : 55 minutes
Repos : 2 heures

3 œufs
95 g de sucre en poudre
1 cuillerée à soupe d'eau de fleur
d'oranger
95 g de beurre
90 g de farine
37 cl de lait
1 boîte de 410 g d'abricots
au sirop
1 pincée de sel

Moule à savarin, diamètre 22 cm,
en silicone ou chemisé de papier
cuisson

Préchauffez le four à 150 °C.

Séparez les blancs des jaunes. Fouettez les jaunes avec le sucre et
l'eau de fleur d'oranger jusqu'à ce que le mélange blanchisse. Faites
fondre le beurre et incorporez-le à la préparation. Ajoutez ensuite
la farine et le sel. Fouettez encore quelques minutes. Versez le lait petit
à petit, sans cesser de fouetter. Montez les blancs en neige et, à l'aide
d'un fouet, incorporez-les à la préparation. Réservez ¼ des abricots
au sirop pour la décoration. Découpez les abricots restants en dés,
puis éparpillez-les au fond d'un moule beurré. Versez la préparation
sur les abricots, lissez avec la lame d'un couteau et enfournez
55 minutes. À la sortie du four, le gâteau est légèrement tremblotant.
Avant de le démouler, laissez-le au minimum 2 heures au réfrigérateur,
afin qu'il fige.

Le truc en plus
Décorez de crème Chantilly et des abricots restants.

Framboise-thé matcha

Pour 10 personnes
Préparation : 25 minutes
Cuisson : 50 minutes
Repos : 2 heures

4 œufs
150 g de sucre en poudre
1 cuillerée à soupe d'eau
125 g de beurre
100 g de farine
15 g de thé matcha
50 cl de lait
200 g de framboises fraîches
1 pincée de sel

Moule à cake, 10 × 24 cm,
en silicone ou chemisé de papier
cuisson

Préchauffez le four à 150 °C.

Séparez les blancs des jaunes. Fouettez les jaunes avec le sucre
et l'eau jusqu'à ce que le mélange blanchisse. Faites fondre le beurre
et incorporez-le à la préparation. Ajoutez ensuite la farine, le sel
et le thé matcha. Fouettez encore quelques minutes. Versez le lait
petit à petit, sans cesser de fouetter. Montez les blancs en neige et,
à l'aide d'un fouet, incorporez-les à la préparation.

Disposez les framboises au fond d'un moule beurré et versez
la préparation dessus. Les framboises viendront se placer toutes
seules au milieu du gâteau lors de la cuisson. Lissez avec la lame
d'un couteau. Enfournez 50 minutes.

À la sortie du four, le gâteau est légèrement tremblotant.
Avant de le démouler, laissez-le au minimum 2 heures au réfrigérateur,
afin qu'il fige. Servez frais.

Le truc en plus

Décorez de quelques framboises et d'un coulis de fruits rouges.
Vous pouvez aussi faire un glaçage au chocolat blanc : faites fondre
150 g de chocolat blanc. Hors du feu, ajoutez 7 cl de crème liquide
entière. Placez au réfrigérateur pour au moins 2 heures, puis
fouettez cette ganache pendant une dizaine de minutes jusqu'à
ce qu'elle épaississe.

Pistache-griotte

Pour 8 personnes
Préparation : 20 minutes
Cuisson : 55 minutes
Repos : 2 heures

4 œufs
135 g de sucre en poudre
125 g de beurre
1 cuillerée à café bombée
de pâte de pistache (en épicerie
spécialisée) ou d'arôme de pistache
40 g de poudre de pistaches
120 g de farine
50 cl de lait
200 g de cerises griottes
1 pincée de sel

Moule rond, diamètre 24 cm,
en silicone ou chemisé de papier
cuisson

Préchauffez le four à 150 °C.

Séparez les blancs des jaunes. Fouettez les jaunes avec le sucre jusqu'à ce que le mélange blanchisse. Faites fondre le beurre puis incorporez-le à la préparation. Ajoutez la pâte de pistache. Ajoutez ensuite la poudre de pistaches, la farine et le sel. Fouettez encore quelques minutes. Versez le lait petit à petit, sans cesser de fouetter. Montez les blancs en neige et, à l'aide d'un fouet, incorporez-les à la préparation. Disposez les griottes au fond d'un moule beurré. Versez la préparation dessus, puis lissez avec la lame d'un couteau. Enfournez 55 minutes. À la sortie du four, le gâteau est légèrement tremblotant.

Avant de le démouler, laissez-le au minimum 2 heures au réfrigérateur, afin qu'il fige.

Le truc en plus

Décorez de crème Chantilly, de pistaches concassées et de cerises.

Galette magique des Rois

Pour 8 personnes
Préparation : 30 minutes
Cuisson : 10 + 55 minutes
Repos : 2 heures

Base
150 g de biscuits petit-beurre
30 g de poudre d'amandes
50 g de beurre demi-sel fondu
2 pincées de fleur de sel

Garniture
3 œufs
110 g de sucre en poudre
90 g de beurre
1 cuillerée à café d'extrait
d'amande amère
1 cuillerée à soupe de rhum
(facultatif)
80 g de farine
35 cl de lait d'amande
1 pincée de sel

Moule rond, diamètre 24 cm,
chemisé de papier cuisson
Fève

Préchauffez le four à 150 °C.

Pour la base, mixez ensemble tous les ingrédients jusqu'à former une pâte homogène. Chemisez un moule de 24 centimètres de diamètre de papier cuisson et versez-y le mélange. Appuyez avec le dos d'une cuillère à soupe afin de bien étaler la pâte au fond du moule, puis enfournez 10 minutes.

Pour la garniture, séparez les blancs des jaunes. Fouettez les jaunes avec le sucre jusqu'à ce que le mélange blanchisse. Faites fondre le beurre et incorporez-le à la préparation avec l'extrait d'amande amère et éventuellement le rhum. Ajoutez ensuite la farine et le sel. Fouettez encore quelques instants, puis versez le lait d'amande petit à petit, sans cesser de fouetter. Montez les blancs en neige et, à l'aide d'un fouet, incorporez-les à la préparation.

Versez la préparation sur la base de biscuits, puis lissez avec la lame d'un couteau. N'oubliez pas la fève ! Enfournez 55 minutes. À la sortie du four, le gâteau est légèrement tremblotant. Avant de le démouler, laissez-le refroidir au minimum 2 heures au réfrigérateur, afin qu'il fige. Servez frais ou légèrement réchauffé !

Le truc en plus
Saupoudrez le gâteau de sucre glace et décorez d'amandes effilées, grillées.

Pain d'épices magique

Pour 10 personnes
Préparation : 20 minutes
Cuisson : 50 minutes
Repos : 2 heures

3 œufs
30 g de sucre en poudre
40 g de sucre roux
3 cuillerées à soupe de miel
90 g de beurre
35 cl de lait tiède
80 g de farine
2 cuillerées à café de quatre-épices
1 cuillerée à café de cannelle
en poudre
1 pincée de sel

Moule à cake, 10 × 24 cm,
en silicone ou chemisé de papier
cuisson

Préchauffez le four à 150 °C.
Séparez les blancs des jaunes. Fouettez les jaunes avec les sucres
jusqu'à ce que le mélange blanchisse. Ajoutez le miel et fouettez
de nouveau. Faites fondre le beurre et incorporez-le à la préparation.
Ajoutez ensuite la farine, le sel, le quatre-épices et la cannelle.
Fouettez encore quelques minutes. Versez le lait petit à petit, sans
cesser de fouetter. Montez les blancs en neige et, à l'aide d'un fouet,
incorporez-les à la préparation. Versez la préparation dans le moule
beurré et lissez avec la lame d'un couteau. Enfournez 50 minutes.
À la sortie du four, le gâteau est légèrement tremblotant.
Avant de le démouler, laissez-le au minimum 2 heures au réfrigérateur,
afin qu'il fige. Servez frais !

Citron meringué

Pour 10 personnes
Préparation : 40 minutes
Cuisson : 15 + 50 minutes
Repos : 15 minutes

1 pâte sablée
3 œufs
70 g de sucre en poudre
1 cuillerée à soupe d'eau
70 g de beurre
70 g de farine
27,5 cl de lait
2 citrons
1 pincée de sel

Meringue
2 blancs d'œufs
50 g de sucre en poudre
50 g de sucre glace

Moule à tarte, diamètre 27 cm

Préchauffez le four à 180 °C.
Foncez un plat à tarte avec la pâte sablée, recouvrez de papier sulfurisé et de haricots blancs afin que la pâte ne lève pas à la cuisson puis enfournez 15 minutes. Réservez au réfrigérateur.
Baissez la température du four à 150 °C.
Séparez les blancs des jaunes. Fouettez les jaunes avec le sucre et l'eau jusqu'à ce que le mélange blanchisse. Faites fondre le beurre et incorporez-le à la préparation. Ajoutez la farine et le sel, puis fouettez encore quelques instants. Versez le lait petit à petit, sans cesser de fouetter. Ajoutez le zeste d'un citron et le jus des deux. Montez les blancs en neige et, à l'aide d'un fouet, incorporez-les à la préparation.
Sortez la pâte du réfrigérateur et versez-y la préparation. Enfournez 50 minutes. À la sortie du four, le gâteau peut être légèrement tremblotant. Laissez-le refroidir avant de déposer la meringue dessus.
Pour la meringue, fouettez les blancs en neige, en ajoutant les sucres progressivement, jusqu'à ce que le mélange forme un pic lorsque vous retirez le fouet. Recouvrez la tarte de meringue à l'aide d'une cuillère à soupe. Colorez la meringue à l'aide d'un chalumeau, ou en la passant au gril 3 à 5 minutes.

Le truc en plus
Décorez avec les zestes du second citron.

Pâques intensément chocolat

Pour 8 personnes
Préparation : 25 minutes
Cuisson : 55 minutes
Repos : 2 heures

4 œufs
80 g de sucre en poudre
70 g de sucre roux
1 cuillerée à soupe d'eau
125 g de beurre
70 g de farine
40 g de cacao en poudre non sucré
50 cl de lait
1 pincée de sel

Moule carré, côtés 20 cm,
en silicone ou chemisé de papier
cuisson

Préchauffez le four à 150 °C.

Séparez les blancs des jaunes. Fouettez les jaunes avec les sucres et l'eau jusqu'à ce que le mélange blanchisse. Faites fondre le beurre puis incorporez-le à la préparation. Ajoutez ensuite la farine, le cacao et le sel. Fouettez encore quelques instants. Versez le lait petit à petit, sans cesser de fouetter. Montez les blancs en neige et, à l'aide d'un fouet, incorporez-les à la préparation. Versez la préparation dans un moule beurré et lissez avec la lame d'un couteau. Enfournez 55 minutes. À la sortie du four, le gâteau est légèrement tremblotant. Avant de le démouler, laissez-le au minimum 2 heures au réfrigérateur, afin qu'il fige. Servez frais.

Le truc en plus

Pour la décoration, réalisez des copeaux de chocolat à l'aide d'un économe.

Vous pouvez aussi faire une ganache montée en mélangeant 100 g de chocolat noir fondu, 8 cl de crème liquide entière chaude et 8 cl de crème froide. Réservez 2 heures au frais puis fouettez jusqu'à épaississement.

Cheese-cake magique

Pour 8 personnes
Préparation : 40 minutes
Cuisson : 10 + 50 minutes
Repos : 2 heures

Base
200 g de biscuits spéculoos
70 g de beurre fondu

Garniture
3 œufs
100 g de sucre en poudre
200 g de fromage frais,
type Philadelphia®
70 g de farine
25 cl de lait entier
1 pincée de sel

Moule rond, diamètre 24 cm,
chemisé de papier cuisson

Préchauffez le four à 150 °C.

Mixez les biscuits spéculoos avec le beurre fondu jusqu'à formation d'une pâte. Étalez ce mélange au fond du moule recouvert de papier sulfurisé. Appuyez bien avec le dos d'une cuillère à soupe afin de tasser la pâte puis enfournez 10 minutes.

Séparez les blancs des jaunes. Fouettez les jaunes avec le sucre jusqu'à ce que le mélange blanchisse. Incorporez le fromage frais, la farine et le sel. Fouettez encore quelques minutes. Versez le lait petit à petit, sans cesser de fouetter. Montez les blancs en neige et, à l'aide d'un fouet, incorporez-les à la préparation. Versez le tout dans le moule, sur la base en spéculoos. Enfournez pour 50 minutes.

À la sortie du four, le gâteau est légèrement tremblotant.

Avant de le démouler, laissez-le au minimum 2 heures au réfrigérateur, afin qu'il fige. Servez frais ou légèrement tiédi.

Le truc en plus

Saupoudrez de sucre glace à l'aide d'une petite passoire.

Ce cheese-cake magique s'accompagne aussi d'un coulis de fruits rouges, de caramel ou de chocolat, selon les goûts !

Gâteau magique d'Halloween

Pour 8 personnes
Préparation : 40 minutes
Cuisson : 30 + 50 minutes
Repos : 2 heures

300 g de chair de potiron
1 gousse de vanille
40 cl de lait
4 œufs
75 g de sucre en poudre
50 g de miel
125 g de beurre
115 g de farine
2 cuillerées à café de quatre-épices
1 pincée de sel

Moule rond, diamètre 24 cm,
en silicone ou chemisé de papier
cuisson

Épluchez le potiron et découpez 300 g de chair en morceaux
de 5 cm de côté environ. Faites-les cuire à la vapeur pendant environ
30 minutes. Réduisez le potiron en purée avec un mixeur plongeant.
Préchauffez le four à 150 °C.
Faites chauffer le lait avec les graines de vanille et la gousse ouverte
afin qu'elle infuse. Laissez tiédir. Séparez les blancs des jaunes.
Fouettez les jaunes avec le sucre jusqu'à ce que le mélange blanchisse.
Ajoutez ensuite le miel. Faites fondre le beurre et incorporez-le
à la préparation. Ajoutez la purée de potiron, la farine, le sel et
le quatre-épices. Versez petit à petit le lait duquel vous aurez retiré
la gousse de vanille, sans cesser de fouetter. Montez les blancs
en neige et, à l'aide d'un fouet, incorporez-les à la préparation.
Versez la préparation dans un moule beurré et lissez avec la lame
d'un couteau. Enfournez 50 minutes. À la sortie du four, le gâteau
est légèrement tremblotant.
Avant de le démouler, laissez-le au minimum 2 heures au réfrigérateur,
afin qu'il fige. Servez frais !

Le truc en plus

Pour un glaçage, fouettez 8 cl de crème liquide entière bien froide
jusqu'à ce qu'elle épaississe. Ajoutez ensuite 150 g de fromage frais,
puis 20 g de sucre glace, sans cesser de fouetter.
Vous pouvez également décorer avec de la confiture de potiron.

Cannelés magiques

Pour 8 personnes
Préparation : 25 minutes
Cuisson : 23 minutes
Repos : 1 + 1 heure

1 gousse de vanille
1 cuillerée à café de vanille liquide
2 cl de rhum
18 cl de lait entier
2 œufs
50 g de sucre en poudre
45 g de beurre
60 g de farine
1 pincée de sel
Sucre roux, pour les moules

Moules à cannelé en silicone

Faites chauffer les graines de vanille, la gousse de vanille ouverte, la vanille liquide et le rhum dans une casserole avec le lait. Laissez infuser pendant 1 heure.
Préchauffez le four à 150 °C.
Faites chauffer le beurre dans une casserole jusqu'à ce qu'il prenne une jolie couleur noisette. Laissez tiédir. Séparez les blancs des jaunes. Fouettez les jaunes avec le sucre jusqu'à ce que le mélange blanchisse, puis ajoutez le beurre noisette tiédi. Incorporez ensuite la farine et le sel. Fouettez encore quelques minutes. Versez petit à petit le lait, duquel vous aurez retiré la gousse de vanille, sans cesser de fouetter. Montez les blancs en neige et, à l'aide d'un fouet, incorporez-les à la préparation. Beurrez les moules à cannelé et saupoudrez-les de sucre roux. Versez-y la préparation jusqu'aux trois quarts de la hauteur des moules, en faisant attention à répartir équitablement le liquide et les blancs en neige entre les différents moules. Lissez avec le dos d'une cuillère à café. Enfournez 23 minutes.
Avant de les démouler, laissez-les au minimum 1 heure au réfrigérateur, afin qu'ils figent.

Le truc en plus
Vous pouvez servir ces cannelés accompagnés d'un coulis de caramel.

Bûche magique

Pour 10 personnes
Préparation : 35 minutes
Cuisson : 50 minutes
Repos : 2 heures

35 cl de lait
1 gousse de vanille
3 œufs
1 cuillerée à café d'eau
45 g de sucre en poudre
100 g de crème de marrons
90 g de beurre
70 g de farine
60 g de brisures de marrons glacés
1 pincée de sel

Moule à bûche, en silicone
ou chemisé de papier cuisson

Préchauffez le four à 160 °C.
Faites chauffer le lait avec les graines de vanille et la gousse ouverte afin qu'elle infuse. Laissez tiédir. Séparez les blancs des jaunes. Fouettez les jaunes avec le sucre et l'eau jusqu'à ce que le mélange blanchisse. Ajoutez ensuite la crème de marrons. Faites fondre le beurre et incorporez-le à la préparation. Ajoutez la farine et le sel puis fouettez quelques minutes. Versez petit à petit le lait, duquel vous aurez retiré la gousse de vanille, sans cesser de fouetter. Montez les blancs en neige et, à l'aide d'un fouet, incorporez-les à la préparation. Beurrez un moule à bûche. Parsemez le fond de brisures de marrons glacés et versez-y la préparation. Enfournez 50 minutes.
À la sortie du four, le gâteau est légèrement tremblotant.
Avant de le démouler, laissez-le au minimum 2 heures au réfrigérateur, afin qu'il fige. Servez frais.

Le truc en plus
Décorez de quelques marrons glacés entiers ou en brisures.
Vous pouvez aussi faire un glaçage en fouettant 20 cl de crème liquide entière avec 120 g de mascarpone jusqu'à ce que le mélange épaississe, puis en ajoutant 30 g de sucre, petit à petit, tout en fouettant.

Brownies magiques

Pour 10 personnes
Préparation : 25 minutes
Cuisson : 10 + 55 minutes
Repos : 2 heures

80 g de noix concassées
4 œufs
125 g de sucre en poudre
1 cuillerée à soupe d'eau
125 g de beurre
110 g de farine
30 g de cacao en poudre non sucré
50 cl de lait
50 g de pépites de chocolat
1 pincée de sel

Moule carré, côtés 20 cm,
en silicone ou chemisé de papier
cuisson

Préchauffez le four à 150 °C.
Faites griller les noix dans le four, sur une plaque, pendant une dizaine de minutes. Séparez les blancs des jaunes. Fouettez les jaunes avec le sucre et l'eau jusqu'à ce que le mélange blanchisse. Faites fondre le beurre et incorporez-le à la préparation. Ajoutez la farine, le cacao et le sel. Fouettez encore quelques minutes. Versez le lait petit à petit, sans cesser de fouetter. Montez les blancs en neige et, à l'aide d'un fouet, incorporez-les à la préparation.
Beurrez le moule et disposez les noix concassées et les pépites de chocolat dans le fond. Recouvrez avec la préparation.
Enfournez 55 minutes.
À la sortie du four, le gâteau est légèrement tremblotant.
Avant de le démouler, laissez-le au minimum 2 heures au réfrigérateur, afin qu'il fige. Démoulez puis découpez le gâteau en petits carrés.

Le truc en plus
Servez avec de la chantilly et du chocolat fondu.

Red velvet cake magique

Pour 8 personnes
Préparation : 40 minutes
Cuisson : 50 minutes
Repos : 1 + 2 heures

1 gousse de vanille
50 cl de lait
4 œufs
150 g de sucre en poudre
1 cuillerée à soupe de colorant
rouge liquide
125 g de beurre
115 g de farine
10 g de cacao en poudre non sucré
1 pincée de sel
1 pointe de colorant rouge
en poudre

Glaçage
30 cl de crème liquide entière
150 g de mascarpone
45 g de sucre en poudre

2 moules ronds, diamètre 17 cm,
en silicone ou chemisés de papier
cuisson

Fendez la gousse de vanille en deux et grattez les graines avec
la lame d'un couteau. Faites chauffer le lait avec les graines de vanille
et la gousse. Laissez infuser pendant 1 heure.
Préchauffez le four à 150 °C.
Séparez les blancs des jaunes. Fouettez les jaunes avec le sucre et
le colorant liquide jusqu'à ce que le mélange blanchisse. Faites fondre
le beurre et incorporez-le à la préparation. Ajoutez la farine, le cacao
et le sel. Fouettez encore quelques minutes. Versez le lait petit
à petit, sans la gousse de vanille, tout en fouettant. Montez les blancs
en neige avec le colorant en poudre. À l'aide d'un fouet, incorporez-
les à la préparation. Beurrez les moules et versez-y la préparation,
en répartissant équitablement la partie liquide et la partie blancs
d'œufs. Enfournez 50 minutes.
À la sortie du four, les gâteaux sont légèrement tremblotants.
Avant de les démouler, laissez-les au minimum 2 heures au
réfrigérateur, afin qu'ils figent.
En attendant, préparez le glaçage. Fouettez la crème liquide jusqu'à
ce qu'elle épaississe. Ajoutez le mascarpone, sans cesser de fouetter.
Versez enfin le sucre en poudre, puis fouettez encore 30 secondes.
Répartissez la moitié du glaçage sur le dessus du premier gâteau.
Superposez le second gâteau dessus et recouvrez avec le reste
de glaçage. Servez frais !

Le truc en plus
Décorez de sucre coloré rouge et de fruits rouges.

Gâteau marshmallows

Pour 8 personnes
Préparation : 25 minutes
Cuisson : 5 + 45 minutes
Repos : 2 heures

50 cl de lait
150 g de marshmallows
4 œufs
40 g de sucre en poudre
1 cuillerée à soupe d'eau
125 g de beurre
80 g de farine
1 pincée de sel

Moule rond, diamètre 24 cm,
en silicone ou chemisé de papier
cuisson

Préchauffez le four à 150 °C.
Faites bouillir le lait et les marshmallows à la casserole jusqu'à ce
qu'ils soient complètement fondus. Laissez tiédir.
Séparez les blancs des jaunes. Fouettez les jaunes avec le sucre
et l'eau jusqu'à ce que le mélange blanchisse. Faites fondre le beurre
et incorporez-le à la préparation. Ajoutez ensuite la farine et le sel.
Fouettez encore quelques minutes. Versez le lait aux marshmallows
petit à petit, sans cesser de fouetter. Montez les blancs en neige
et, à l'aide d'un fouet, incorporez-les à la préparation. Versez
la préparation dans le moule beurré, lissez avec la lame d'un couteau
et enfournez 45 minutes.
À la sortie du four, le gâteau est légèrement tremblotant.
Avant de le démouler, laissez-le au minimum 2 heures au réfrigérateur,
afin qu'il fige.

Le truc en plus
Saupoudrez de sucre glace.
Vous pouvez aussi décorer de quelques marshmallows passés
au chalumeau.

Saint-Valentin mangue-passion

Pour 8 personnes
Préparation : 30 minutes
Cuisson : 50 minutes
Repos : 2 heures

3 œufs
75 g de sucre en poudre
90 g de beurre
95 g de farine
180 g de fruits de la passion
32 cl de lait
1 mangue bien mûre
1 pincée de sel

Moule cœur, en silicone
ou chemisé de papier cuisson

Préchauffez le four à 150 °C.

Séparez les blancs des jaunes. Fouettez les jaunes avec le sucre jusqu'à ce que le mélange blanchisse. Faites fondre le beurre et incorporez-le à la préparation. Ajoutez ensuite la farine et le sel. Fouettez encore quelques minutes. Versez le lait petit à petit, sans cesser de fouetter.

Coupez les fruits de la passion en deux et videz-les dans une passoire fine, posée au-dessus d'un récipient. À l'aide d'une maryse, pressez la chair des fruits contre les parois de la passoire afin d'en extraire le jus. Vous devez obtenir environ 4 cl de liquide. Versez ce jus dans la préparation. Montez les blancs en neige et, à l'aide d'un fouet, incorporez-les à la pâte.

Épluchez la mangue. Réservez-en un quart pour la décoration puis découpez le reste de la chair en petits dés. Dispersez les dés dans un moule beurré. Versez la préparation dessus, puis lissez avec la lame d'un couteau. Enfournez 50 minutes.

À la sortie du four, le gâteau est légèrement tremblotant. Avant de le démouler, laissez-le au minimum 2 heures au réfrigérateur, afin qu'il fige. Servez frais !

Le truc en plus

Décorez de lamelles de mangue et de fruits de la passion.

Vous pouvez aussi faire un nappage en faisant fondre 100 g de chocolat blanc dans 5 cl de crème liquide entière au bain-marie et un peu de colorant orange.

Olives, lardons et feta

Pour 10 personnes
Préparation : 25 minutes
Cuisson : 50 minutes
Repos : 2 heures

3 œufs
1 cuillerée à soupe d'huile d'olive
100 g de beurre demi-sel fondu
90 g de farine
1 cuillerée à soupe de basilic ciselé
35 cl de lait
125 g d'olives vertes
125 g de lardons
125 g de feta
Sel, poivre

Moule à cake, 10 × 24 cm,
en silicone ou chemisé de papier
cuisson

Préchauffez le four à 150 °C.
Séparez les blancs des jaunes. Fouettez les jaunes avec l'huile
d'olive et le beurre fondu jusqu'à ce que le mélange devienne
homogène. Ajoutez ensuite la farine, le basilic, puis le sel et le poivre,
généreusement dosés. Fouettez encore quelques instants. Versez le lait
progressivement, sans cesser de fouetter. Montez les blancs en neige
et, à l'aide d'un fouet, incorporez-les à la préparation.
Coupez les olives en deux. Placez-les au fond du moule à cake beurré.
Faites griller les lardons à la poêle puis dispersez-les sur les olives.
Ajoutez la feta coupée en dés. Versez la préparation sur les olives,
les lardons et la feta, puis lissez avec la lame d'un couteau. Enfournez
50 minutes. À la sortie du four, le cake est légèrement tremblotant.
Avant de le démouler, laissez-le au minimum 2 heures au réfrigérateur,
afin qu'il fige. Servez frais !

Le truc en plus
Vous pouvez accompagner ce cake d'une salade de concombre.

Chèvre-figues

Pour 10 personnes
Préparation : 25 minutes
Cuisson : 50 minutes
Repos : 2 heures

3 œufs
3 cuillerées à soupe rases de miel
70 g de beurre fondu
120 g de fromage de chèvre frais
50 g de farine
2 pincées d'herbes de Provence
37 cl de lait
100 g de figues sèches
75 g de bûche de chèvre
Sel, poivre

Moule à savarin, diamètre 22 cm,
en silicone ou chemisé de papier
cuisson

Préchauffez le four à 150 °C.

Séparez les blancs des jaunes. Fouettez les jaunes avec le miel
et le beurre fondu jusqu'à ce que le mélange devienne homogène.
Incorporez le fromage de chèvre frais. Ajoutez ensuite la farine,
puis le sel, le poivre et les herbes de Provence. Fouettez encore
quelques instants. Versez le lait progressivement, sans cesser
de fouetter. Montez les blancs en neige et, à l'aide d'un fouet,
incorporez-les à la préparation.

Coupez les figues en petits morceaux et dispersez-les au fond
d'un moule beurré. Ajoutez la bûche de chèvre coupée en dés.
Versez la préparation dans le moule, sur les morceaux de figue
et de bûche de chèvre. Enfournez 50 minutes.

À la sortie du four, le gâteau est légèrement tremblotant.

Avant de le démouler, laissez-le au minimum 2 heures au réfrigérateur,
afin qu'il fige. Servez frais !

Le truc en plus

Selon les goûts, vous pouvez remplacer la moitié du fromage de chèvre
par du Roquefort.

Quiche magique à la moutarde

Pour 10 personnes
Préparation : 25 minutes
Cuisson : 20 + 55 minutes

1 pâte feuilletée
3 œufs
1 cuillerée à soupe d'huile d'olive
85 g de beurre demi-sel fondu
80 g de moutarde
70 g de farine
30 cl de lait
100 g de jambon coupé en dés
130 g de gruyère râpé
10 tomates séchées
Sel, poivre

Moule à tarte, diamètre 27 cm

Préchauffez le four à 180 °C.
Foncez un moule à tarte avec la pâte feuilletée. Recouvrez de papier sulfurisé et de haricots blancs afin que la pâte ne lève pas à la cuisson puis enfournez 20 minutes. Baissez la température du four à 150 °C. Séparez les blancs des jaunes. Fouettez les jaunes avec l'huile d'olive et le beurre fondu jusqu'à ce que le mélange devienne homogène. Ajoutez ensuite la moutarde, la farine, le sel et le poivre. Fouettez encore quelques instants. Versez le lait progressivement, sans cesser de fouetter. Ajoutez le jambon et 50 g de gruyère râpé. Montez les blancs en neige et, à l'aide d'un fouet, incorporez-les à la préparation.
Coupez les tomates séchées en petits morceaux et dispersez-les sur le fond de tarte. Versez la préparation dessus, puis recouvrez du reste de gruyère râpé. Enfournez 55 minutes.
Laissez tiédir quelques instants avant de déguster.

Le truc en plus
Vous pouvez décorer les parts de copeaux de fromage faits à l'économe.

Remerciements

Merci à mes parents, Loïc, Hubert, Fabien, Amélie, Jules, Laëtitia, Alban, Apolline et Jérémie pour avoir joué les goûteurs.

Merci à Rita et ses enfants, Christine, Maëlys, Annélia, Elodie, Fabienne, Virginie, Catherine, Claire et Laurent pour vos essais de recettes et vos conseils avisés !

Merci à toute l'équipe de Marabout pour sa confiance et pour m'avoir permis de réaliser ce rêve.

Merci à Marlène et Valéry pour avoir fait ce livre si joli.

Merci à Guillaume, goûteur, multitesteur, conseiller, chauffeur et commis ! Merci pour ton aide précieuse.

Et, surtout, merci à mes filles Cloélia, Eléa et Callista pour avoir avalé durant la préparation de ce livre plus de gâteaux magiques que personne n'en mangera jamais pendant toute une vie !

Christelle.

Graphisme : WEAREMB
Illustrations : Léa Maupetit
Mise en pages : Frédéric Voisin
Relecture : Véronique Dussidour

© Hachette Livre (Marabout) 2013
58, rue Jean Bleuzen - 92178 Vanves Cedex
Dépôt légal : avril 2016
8955705
ISBN : 978-2-501-10209-4
Achevé d'imprimer en Espagne par Graficas Estella en mars 2016.